CW00863839

IFAN TOM YN ADRODD STORI'R NADOLIG

CYHOEDDIADAU'R GAIR

Roedd adeg y Nadolig yn nesáu eto.
Y tu allan roedd yr eira yn syrthio'n drwm ar y coed.
Eisteddai Ifan Tom yn gyfforddus ar ei gadair o flaen y tân yn darllen papur. Roedd y goeden Nadolig yn disgleirio a fflachio'n brydferth iawn. Yn sydyn roedd yna gnoc ar y drws.
'Pwy sydd 'na nawr?' gofynnodd Ifan Tom iddo'i hun.
Aeth at y drws gyda Barti'r gath i weld pwy oedd yno.
Efallai bod Siôn Corn wedi dod yn gynnar.

Dewi a Branwen oedd yno!
Roeddent wedi dod am dro i weld Dad-cu.
Roedd Ifan Tom yn falch o'u gweld a chawsant groeso mawr ganddo.
''Dan ni newydd wneud dyn eira,' meddent, gan roi sgarff am ei wddf a moronen i wneud trwyn iddo.
'Ond wedyn roedden ni'n teimlo'n oer,' meddent.

'Dewch i mewn,' meddai Ifan Tom, 'mae'n gynnes braf yma.'
'Rhowch eich cotiau i lawr yma, a gadewch eich esgidiau gwlyb yn y cyntedd.'
Dyma Dewi a Branwen yn eistedd ar y llawr o flaen y tân, a daeth Barti atynt i gael ychydig o sylw.

Aeth Ifan Tom allan i'r gegin.
Daeth yn ôl yn cario hambwrdd gyda diod siocled a bisgedi Nadoligaidd.
'Fe wnaiff y ddiod 'ma eich cynhesu chi,' dywedodd wrthynt.

Arllwysodd Ifan Tom ychydig o lefrith i soser hefyd.
'Mae angen diod ar Barti hefyd,' dywedodd.
'Lle mae'ch modelau stori Nadolig chi, Dad-cu?' gofynnodd Dewi.
'O, yn yr atig,' dywedodd Ifan Tom. 'Ydych chi am i mi fynd i chwilio amdanynt?'

Yn sydyn, dechreuodd Dewi chwerthin.
'Dad-cu,' dywedodd, 'edrycha ar Branwen! Mae ganddi fwstás!'
Doedd Dewi ddim yn sylweddoli bod ganddo yntau un hefyd!
Aeth Ifan Tom ati i lanhau eu cegau â'i hances.
'Dewch, fe awn ni i fyny'r grisiau i chwilio am y cymeriadau Nadolig,' dywedodd.

‘Nawr, ble mae’r bocs ’na?’
Doedd Ifan Tom ddim yn cofio ble roedd e wedi rhoi’r bocs ers y Nadolig diwethaf. Ond gwyddai fod y bocs yno yn rhywle, ac wedi ei roi mewn lle diogel.
Roedd Dewi a Branwen wrth eu boddau yn cael mynd i fyny i’r atig. Roedd pob math o hen bethau diddorol yno. Byddai Barti hefyd yn cael hwyl yn rhedeg ar ôl llygoden a oedd yn byw yn yr atig.

O'r diwedd dyma Ifan Tom yn dod o hyd i'r bocs.
Gafaelodd yn ofalus ynddo, a'i gario i lawr y grisiau a'i roi ar fwrdd y gegin.
Roedd Barti yn ysu am gael gweld beth oedd yn y bocs.
Tybed beth oedd ynddo?

Gafaelodd Ifan Tom yn ofalus mewn ffigwr pren allan o'r bocs.
'Dyma Mair,' dywedodd wrth Dewi a Branwen. 'Un diwrnod fe ymddangosodd angel i Mair. Dywedoddd yr angel wrthi y byddai yn cael babi yn fuan. Byddai hwnnw yn fabi arbennig iawn – neb llai na Mab Duw ei hun.'

Yna fe dynnodd gymeriad arall allan o’r bocs.
Ac yna asyn pren hefyd.
‘Dyma Joseff. Roedd yntau yn briod â Mair. Roedd gan y ddau ohonynt ffordd bell iawn i deithio er mwyn cyrraedd Bethlehem i gofrestru.
‘Taith flinedig iawn oedd hon, yn enwedig i Mair a hithau yn disgwyl babi.
‘Cafodd Mair farchogaeth ar gefn asyn rhag iddi orfod cerdded.’

‘Ar ôl i Mair a Joseff gyrraedd Bethlehem roeddent wedi blino, a bu’n rhaid iddynt chwilio am rywle i gysgu.
‘Ond roedd ’na gymaint o bobl yno. Doedd ’na ddim lle yn y gwesty. Roedd bob man yn llawn.’
‘I ble aethon nhw yn y diwedd?’ gofynnodd Branwen.

‘Yn y diwedd fe gawsant gynnig aros mewn beudy,’ atebodd Ifan Tom, ‘gyda dim ond anifeiliaid yn gwmni iddynt.’
Yna gafaelodd mewn stabl o’r bocs, a’i roi ar y bwrdd.
‘Dyna le rhyfedd i Fab Duw gael ei eni,’ dywedodd Dewi.
Esboniodd Ifan Tom iddynt fod y baban Iesu wedi ei eni y noson honno.

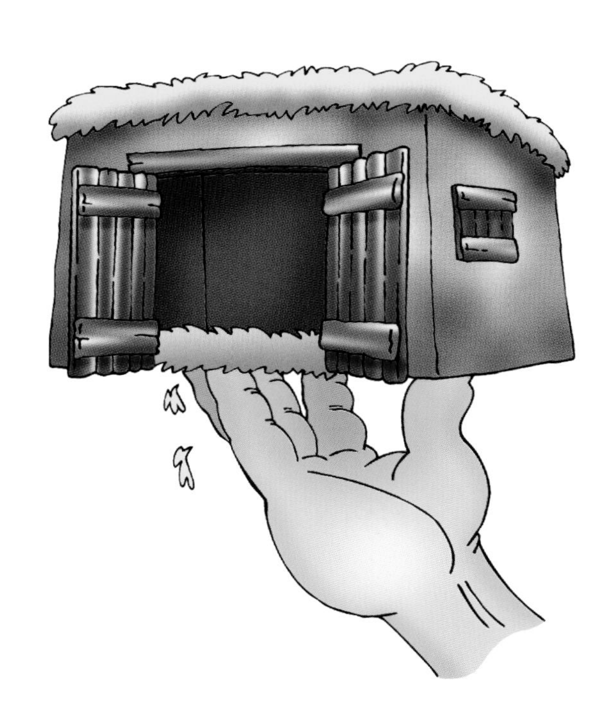

‘Ar yr union adeg, mewn caeau i fyny yn y mynyddoedd, roedd ’na fugeiliaid yn edrych ar ôl eu defaid. Yn sydyn, cawsant eu dallu gan olau llachar, ac ymddangosodd angel iddynt.
‘Dywedodd yr angel wrthynt, “Peidiwch ag ofni, mae gen i ychydig o newyddion da i chi. Heno, mae Mab Duw wedi cael ei eni. Mae’n cysgu mewn preseb. Ewch yno i’w weld.”’

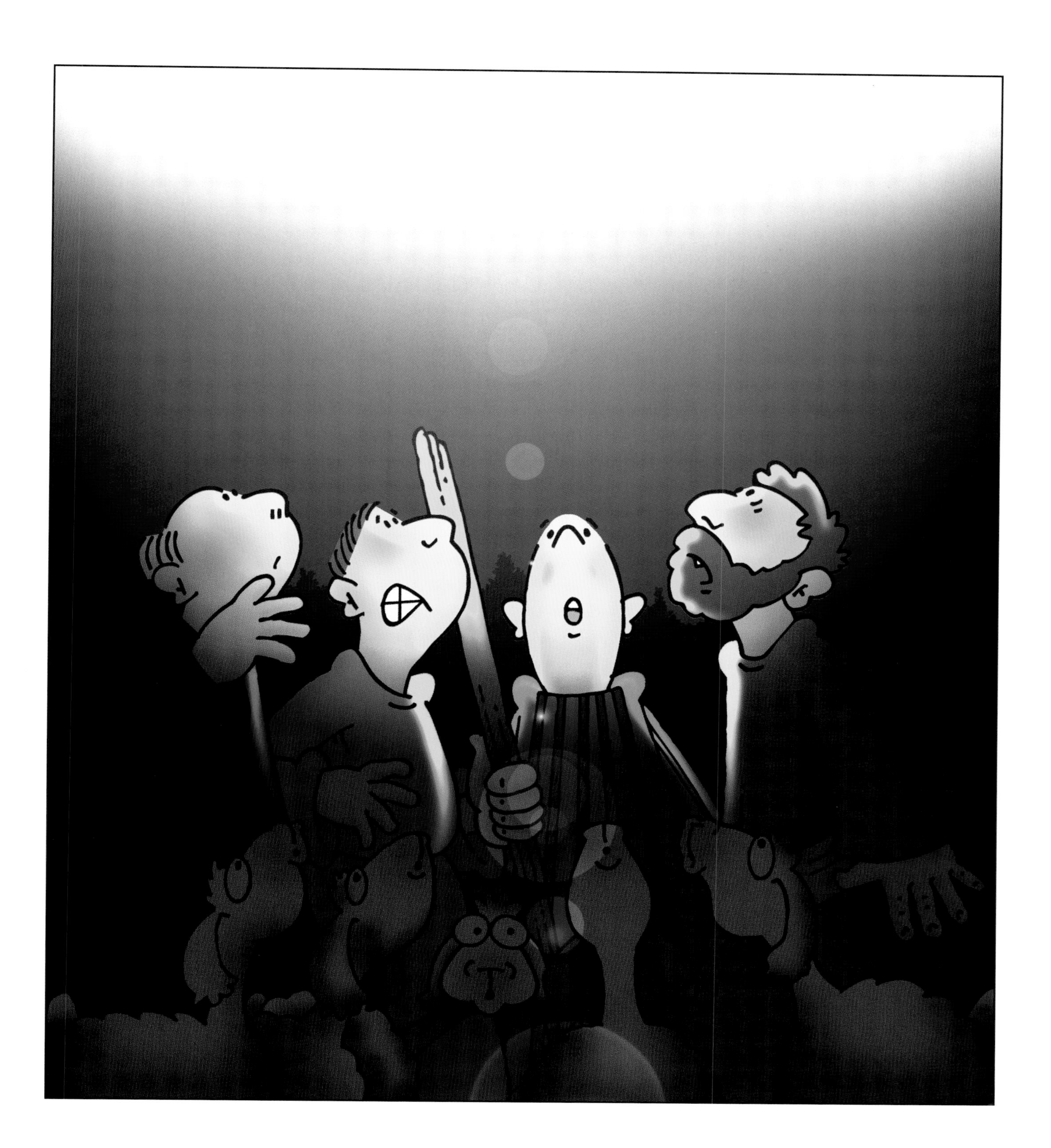

‘Aeth y bugeiliaid yn syth ar eu taith i Fethlehem. Roeddynt yn disgwyl ymlaen i gael cyfarfod y babi arbennig.
‘Dyna nhw yn dod o hyd i’r beudy, ac yn agor y drws yn ddistaw.
‘Ac yno, fe welsant y baban Iesu yn union fel roedd yr angel wedi dweud wrthynt.’

‘O diolch, Dad-cu!’ medde Branwen, ‘dyna stori dda.’
‘Dad-cu, ga i roi y preseb a’r baban Iesu i mewn yn y beudy?’ gofynnodd Dewi.
‘Wrth gwrs y cei di,’ dywedodd Ifan Tom, ‘bydd pob darn yn ei le wedyn.’
Ac fe gawn ni ein hatgoffa unwaith yn rhagor gymaint mae Duw yn ein caru, ac iddo ddanfon ei Fab i’n byd ni ar y dydd Nadolig cyntaf hwnnw.

Gellir darllen stori'r Nadolig cyntaf yn llawn yn y Beibl, yn llyfr Mathew, penodau 1 a 2, a llyfr Luc, penodau 1 a 2.

 ISBN 1 85994 252 0
Testun gwreiddiol: *Ark Boeken*. Darluniau gan Michel de Boer
Addasiad Cymraeg gan Aled Davies
Dymuna'r Cyngor gydnabod cyd-weithrediad Adran Olygyddol Cyngor Llyfrau Cymru.
Cyhoeddwyd yn wreiddiol gan Candle Books.
Cyd-argraffiad byd-eang wedi ei drefnu gan Angus Hudson Ltd.
Argraffwyd yn Singapore.

**Cyhoeddwyd gan: Cyhoeddiadau'r Gair, Cyngor Ysgolion Sul Cymru,
Ysgol Addysg, PCB, Safle'r Normal, Bangor, Gwynedd, LL57 2PX.**